조매꾸 꿈런쌤의 나도 작가다 4기

글쓴이 - 2학년 4반
표지 - 정해솔

24시집

24시집

발 행 | 2024년 7월 10일
저 자 | 광교호수중학교 2학년 4반(2024), 조매꾸 꿈런쌤 김병수
펴낸이 | 한건희
펴낸곳 | 주식회사 부크크
출판사등록 | 2014.07.15.(제2014-16호)
주 소 | 서울특별시 금천구 가산디지털1로 119 SK트윈타워 A동 305호
전 화 | 1670-8316
이메일 | info@bookk.co.kr

ISBN | 979-11-410-9432-4

www.bookk.co.kr
© **24시집 2024**

2
4
시
집

광교호수중학교 2학년 4반 지음

목차

☼ 아침 ··· 희망

☽ 저녁 ··· 감성

- 네가 죽던 날
- 젊은 베르테르의 슬픔
- 무표정
- 밤하늘
- 삼채
- EXPANDABLE
- 인간
- 감정
- 비상
- 하늘
- 오늘이 지나면 어제가 되니까
- 상처
- 人 想 e
- 커피
- 괜찮아
- 시간
- 병주고 약주고
- 가면
- In Another Universe

◇새벽 ⋯ 사랑

- 약속
- 편지
- 너에게 갈게
- 세계를 건너 너에게 갈게
- 머리끈
- 언젠가
- 세계를 건너 너에게 갈게
- 앵무새
- YOU
- 샤프심
- 고백
- 중학교 2학년
- First or Second?

CH1.

아침 ☼

우리의 희망이자 시작.

행복이 깃든 어딘가

김민세
살롯의 거미줄

매일 아침 일어나 학교에 가는것,

학교에서 친구들과 떠들 수 있는 것,

친구들과 놀고 마음껏 공부할수 있는 것,

가족들과 맛있는 저녁을 먹는것,

그런 것들이 지나온 시간 속에

하루라는 행복이 깃든거야

너의 하루는 어때?

초콜릿 눈에

나는 오늘도

초콜릿이된다

달콤함에 빠져

달콤함이 되어

오늘은 새하얀 우유에

'퐁당'

부드러운 밀크초콜릿이된다

쓰디쓴 나를

달콤하게 만들어주는 존재

박 가 온

〈나무〉

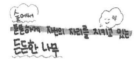

숲에서
튼튼하게 자신의 자리를 지키고 있는
든든한 나무

숲에서
다른 열매들이 자라나게 하는 집과 같은
의미있는 나무

숲에서
자신의 모든 것을 우리에게 주는
아낌없는 나무

나무는 정말 멋진 것 같다.

불편한 편의점

노유환

서울역 노숙자 독고 씨
집은 없어도 따뜻한 마음이 있는 독고 씨
몸은 때묻었지만 마음은 때묻지 않은 순수한 독고 씨
추운 겨울 새파란 눈과 함께 찾아온 따뜻한 독고 씨
지갑을 지키기 위해 애써준 독고 씨
늦은 밤 꾸준히 편의점을 지켜준 독고 씨
독고 씨는 연탄이다.
겉이 까맣고 꾀죄죄 할지라도
추운 겨울 우리를 따뜻하게 해준다

살다보면 별일이 다 있다
살다보면 별의 별일이 다 있다
별은 지나간다

살다보면 별 생이 다든다
살다보면 별의 별 생이 다든다
별은 지나간다

결국 지나간다
별처럼

다시 모두 아름답다
김민세

앉아컨 웃음 보고 싹을 틔운
민들레

빗물을 머금고 올려온
아름다움

결국엔 흙싸가 되어 날아가겠지만
다시모두 아름답다

삶의 조각들

박사은

나는 이 세상 모든 것을 소중하게 대할 거야.
아침의 거슬리는 알람 소리도
짧게 좋게 스쳐가는 작은 인연들도

바지 주머니에 손을 넣었을 때, 엉키지 않은
이어폰이 나왔을 것도
점심 먹고 산책하는 것도

어떤 소중함은 영원하지 않으므로
잃어버려야만 깨달을 수 있으므로

나는 이 세상 모든 것들에게 감사할 거야.

아침에 눈을 뜰 수 있는 것

길을 나설 때 산뜻한 바람이 나를 웃히하는 것

나는 행복한 사람이야!

양김 가을 타는 별호사
                    송원서

모하비의 늦 겨울 아침 공기는

맑고 연 정레스 가을이 만큼이나

깨끗하고 신선하다.

바람에서는 실거어

화약에 냄새 묻어 나는데

그럴 바람이 불어올때면

낙기까이 좋하게 사무쳐 묻었었다.

이런 내인생에 내일상은 대하여는 사랑이

끝없이 였었다

조매꾸

후드자럼

조금씩 매일 꾸준히 조매꾸
조금씩 매일 달리는 조매꾸
조금씩 매일 공부하는 조매꾸
조금씩 매일 일하는 조매꾸

조금씩 매일 꾸준히 조매꾸
부족한 부분을 매일매일 매꾸 조매꾸
그냥 계속 조매꾸
꿈을 향해 조매꾸

EVERY

보석

-전성훈-

나는 보석
발견 되지 않은 보석
발견 되면 모두가 놀랄거야

나는 보석
가공 되지 않은 보석
가공 되면 엄청난 가치가 생길거야

나는 보석
잠재력 있는 보석.

작은 아들

기억

이소은

사람의 기억은 마치 물 과도 같습니다.
맑고 투명한 어린시절의 행복한 기억은
마치 우리가 마시는 물 처럼 우리의 몸속에 살아 숨쉬니까요.

사람의 기억은 마치 햇빛과도 같습니다.
따스한 햇빛이 우리를 비추듯, 소중한 기억 또한
우리를 감싸주니까요.

저는 물 같은 기억과 햇빛 같은 기억을 받고 자라난
빛나는 꽃이 되겠습니다.

마침내 꽃들이 가득 피어난 정원이 완성되면,
당신도 아름답게 피어나길 기도합니다.

바다   배채헌

잔잔하고 쓸쓸한 새벽의 바다
모두가 잠에 들어 외로운 듯
조용히 파도만 그린다

푸르고 시원한 아침의 바다
높게 뜬 태양을 올려다보며
반가운지 햇빛을 빛난다

부드럽고 따뜻한 노을의 바다
태양이 바다 끝으로 안기자
부끄러운지 핑크 빛으로 물든다

고요하고 차가운 밤의 바다
달과 함께 하늘을 재우고
힘이 들었는지 잠에 든다

자전거

전성훈

터덜터덜 학원 끝나고 집가는길
두근두근 자전거를 탈시간

부릉부릉 자전거를 타고
살랑살랑 머리를 흔든다.

터벅터벅 자전거를 타고 집에 들어가면
꾸벅꾸벅 또 하루가 시작된다.

하얀 고래와 배지영

푸른 하늘을 자유롭게 헤엄치는 하얀 고래
지나간 자리에 물결처럼 하얀 길을 끄리면서
구름에 구멍을 송송 내고는
긴 여행이 피곤했는지 내려온다
하얀 고래가 종착점에서 잠이 들면
새로운 곳에서의 나의 여행이 시작된다.

라벤더

배지현

연 보라빛으로 물들여진 꽃잎
포도알 처럼 송송
은은한 밤의 향기

보라색으로 물들여진 들판
구름처럼 퐁퐁
시원한 하늘 향기

자주빛으로 물들어가는 종이
물감으로 콕콕
달달한 솜사탕 향기

비누

뽀득뽀득 비누로 손을 닦는 것 처럼,
뽀득뽀득 마음의 걱정도 닦아졌으면.

보글보글 거품이 생기는 것 처럼,
보글보글 불안한 생각이 거품처럼 멀어진다.

쏴아아아 물줄기가 거품을 씻는 것 처럼,
쏴아아아 내 안의 먼지들도 씻어졌으면.

스윽스윽 손등의 물를 닦는 것 처럼,
스윽스윽 나의 고민들도 조심스레 닦아낸다.

CH2.

점심

우리의 용기에가 도전

곰 같은 사내

이름 : 국민겸
책제목 : 불편한 편의점

서울역에 사는 곰 같은 사내

나의 파우치를 지켜준 곰 같은 사내

다른 노숙자들이 달려들어도

곰 같이 맞서 싸워주는

멋진 곰 같은 사내

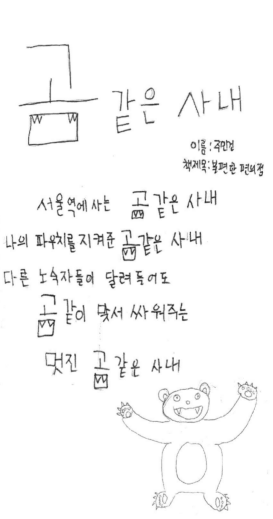

말을 캐는 시간

박가은

홀로그램

작곡 : 임지범
책 제목 : 레인토

홀로그램은 가짜이다
홀로그램은 진짜같다
홀로그램은 반쩍인다

홀로그램으로 여럿을 살릴 수 있다
홀로그램으로 여럿을 속일 수 있다
홀로그램으로 여럿을 만들 수 있다
홀로그램은 그저 상상이다

내가 되고 싶은 아빠

아이가 빵! 하면
윽, 하고 쭉죽 아빠.

아이가 뽱! 하면
새가되어 날아가는 아빠.

아이가 이럇! 하면
다다닥 다가닥 달려가는 아빠.

아이가 여봐라! 하면
예이, 하고 즐거하는 아빠.

덕치주의로 꽃 피운 권력의 몰락

어디를 가도 존경 받고
사랑받는 하늘의 별같은 왕

지하 1층에 사는 제후들이
왕의 펜트하우스로 올라온다

어느새 왕은 절벽 아래 서고
제후들은 활개친다

이렇게 끝내는 주 왕의 핏줄
홍강성소는 주에게도 역시나

20421 장마늘

무기력함 성한서

아무것도 하기 싫다.
아무것도 할 힘이 없다.
아무것도 눈에 보이지 않는다.

아무것도 생각하기 싫다.
아무것도 말할 힘이 없다.
아무것도 귀에 들리지 않는다.

그저 바닥에 누워있고 싶다.
세계 최고의 게으름뱅이가 되고 싶다.
만사가 다 귀찮다.

그 때 들려오는 현관문 열리는 소리.
"아빠가 치킨 사왔다, 빨리 먹어라."
난 벌떡 일어나서 콧구멍을 벌렁거리며
누구보다 빠르게 부엌으로 뛰어갔다.

양윤성

두리안

냄새나는 두리안
먹기 싫은 두리안
호불호 갈리는 두리안
차두리 같은 두리안
두리 두리 두리안

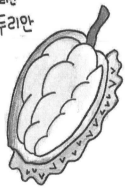

정이현

집 가고 싶다.

집 가고 싶다.
집 가서 잠자고 싶다.
그럼 오늘 하루 피로 함
저 멀리 날아가겠지.

집가고 싶다.
집 가서 게임하고 싶아.
그럼 기분 이 꿈처럼.
둥실 둥실 날아오르 겠지.

집자고 싶다
이 재미고 고요한
학교에서 벗어나
집으로 날아가고 싶다.

...하
집가고 싶다.

〈 핸드폰 〉

백정원

핸드폰은 남, 여 상관없이 다
필요한 물건

게임할 때도 핸드폰

연락할 때도 핸드폰

사진 찍을 때도 핸드폰

이젠 없어서는 안되는 핸드폰

중간고사

신동유쌤
김모경쌤
이범재쌤
차정민쌤
노희성쌤
박정균쌤님
이길은쌤
강진쌤
제갈영주쌤
이민녕쌤
박수민쌤
안여진쌤
김근영쌤
오수리쌤
권민경쌤
양경노쌤
민현기쌤
노차무쌤
마느기쌤
김영능쌤
이바흰쌤
이연쌤

경수를 한번 그껴가요...

D라마

조하윤

주인공이 되고싶어서
드라마를 봤다
세상의 중심이 된 것 같아서

스포트라이트를 받고싶어서
드라마를 봤다
모든 시선이 나를 향하는 것 같아서

그랬던 내가,

위로받고싶어서
드라마를 봤다
마치 내 얘기 같아서

하굣길

정해솔

학교

2904 박서윤

교실에서도
운동장에서도
산책하는 학생들 속에서도

웃음소리가 가득한 학교

나는 이 학교에서 자란다.

각자마다 큰 꿈을 안고

꿈을 꾸며

꿈을 키우는 이곳

이곳은 학교이다.

박가은

축구

보는 것도 재밌고
하는 것도 재있는

　　　축구

가끔은 슬프지만
그래도 행복한

　　　축구

열심히 응원하고
함께 즐기는

　　　축구

제로

정주영

내가 연애해본 횟수는
　　　제로

내가 중학교때 내신 100점 맞은 횟수는
　　　제로

내가 고백받은 횟수는
　　　제로

내가 중학교때 어버이날때 선물준 횟수는
　　　제로

내 중간고사 역사 점수는 거의
　　　　제로

하지만 내 인생이 망할 확률은
　　　　제로

수학의 정석

2024 규민

수학의 정석이란 무엇일까
홍성대가 자른 수학의 정석도 있지만
나만의 수학의 정석은

박수현쌤

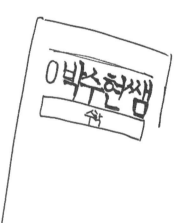

0 박수현쌤

학

중간고사

정유니

중간고사 대박이다.
다른의미로 .

엄마가 칭찬한다.
참 잘~한다!
다른의미로 .

기말고사는 정말 진짜
대박이길 .

네컷으로 보는 미생물 만화

-네꼬준 네호-

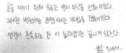

몸을 자끼미 되려 숙소는 백신 수많을 진화 사겠다.
그러면 백신번호는 공연 사비는 백범을 진행시킨다.

생명이 준소되는 만 이 놀래함은 끝나게 있는다.
-끝. 송애M-

책: 한권으로 읽는 미생물 세계사
비시 회로유키

부채

20411 백정원

우리가 더울 때 필요한 부채

우리가 더울때 시원 하게 해주는 부채

우리가 더울때 소중한 부채

체육이 돈 날 부채가 없으면
멘붕이 올 정도로 소중한

부채

계란 노른자

2044 - 김미현

오늘도 노란 계란 노른자.
노랗다. 노래

오늘도 맛 없는 계란 노른자.
우웩 우웩, 맛없어

오늘도 머리 좋은 계란 노른자.
이글 이글 활활

동글동글 귀여운 계란 노른자.
귀욤 귀욤 귀여워

중독

2024여객전

주파먼 중독
휴대폰 중독
마약 중독

세상에는 많은 중독이 있지만

나는 일에 중독

조미규
꿈RUN crew

숨겼어

홍서연

아빠는 통장을
금고에 숨겼어

 엄마는 보석을
보석함에 숨겼어

오빠는 새로 산 옷을
옷장에 숨겼어

나는 음식을
뱃속에 숨겼어

Bitter Sweet 13

- Miso Jang -
2013

they say when
you turn 13
everything changes
some thing turns you rotten

before everything was perfect
having every thing
loved to go to school
hating when weekends came

now emotions painfully
intertwined running wild
confusion grips onto me
as I beg for help

Trying to make sense
out of all the tears I cried
Cutting through the pain
that have scarred me

- Maybe things will be better when I turn
14

시

황원준

시가 싫다
시 쓰는게 싫다

Sea가 싫다
바다가 싫다

See가 싫다
한강 보는게 싫다

시가 싫다

도레미파솔라시
음악이 싫다

Lost

-Miso Jang-
정미소

Another day of school
Sitting at my desk
staring endlessly to nothing

Suddenly all of
a sudden
I get a
thought

— What am I doing with my life

I was lost
with my future
with myself
with my thoughts
with everything

Losing motivation
for studying
Overthinking about
everything

— How can one start living when one only knows
how to survive?

CH3

저녁 🌙

우리의 감성과 쉼마음

네가 죽던 날

성한서
호밀 밭의 파수꾼

「쨍그랑!」
차고의 유리를 마구 때려 부수니
바닥엔 유리 조각들이 여기저기 널부려져 있었다.

지금도 잘만 굴러가는 그 해 아빠의 새차도
때려부수려고 했지만
내 손을 내려다 보니 새빨간 피가 손 여기저기
범벅 되어서 엉망이였다.
난 고작 열 세 살 이였다.

지금도 그때 다친 손이 아플 때가 있다.
주먹을 꽉 쥐면 찌릿찌릿한 고통이
손가락 마디에서부터 손 끝까지 전파된다.

지금도 기억난다.
유난히 머리가 좋던 너.
너의 똘망똘망한 눈동자.
새빨간 머리색.
넌 열살이였다.

난 이제 열여섯살이다.
넌 지금도 열 살이다.

이름:정혜손

무표정

양권성
아몬드

그날 여섯 명이 죽었다.
먼저 엄마와 딸.
다음으로는 한 학생
그 후에는 술 취한 아저씨 둘과
경찰 한 명

끝으로는 그 남자 자신이었다.
그는 정신없는 갈구렴의
마지막 대상으로 스스로를 선택했다.
나는 그 모든 일을
바라보고만 있었다.
언제나 처럼 무표정하게.

이소은
미드나잇 여왕

인생에 시작이 있다면 끝음 또한 존재할 것 입니다.
꽃이 피어나듯 우리의 인생을 화려하게 맞이하는 아침이 있다면
꽃이 시들듯 마지막을 까맣게 덮어주는 밤도 있을 것이겠지요.

아침과 밤.
어둠과 빛.
삶과 죽음.

나의 시작과 끝 모두 당신으로 시작하여 당신으로 끝나는데,
어떻게 이런 운명을 외면할 수 있을까요?

당신은 저에게 찾아와준 별이었습니다.
아니면 나를 환하게 비춰주던 달이었겠죠.

저는 그런 당신이 찬란하게 빛날 수 있는 까만 밤하늘이 되었습니다.

하늘에 아름다운 별이 피어난 때,
당신의 빛이 나의 밤하늘을 비춰주길 작게 소망해봅니다.

삼채 三體

박혜성

삼채 태양이 三개인 세계
　오랜 힘세기와 난세기
삼체 태양이 三개인 세계
　지구라는 낙원으로

지구 태양이 ~개인 세계
　오랫동안 함께기 반객속
지구 태양이 ~개인 세계
고도의 기술 문명 삼체 세계가 지구로 온다

　삼체 세계와 지구의 운명차이는
　인간과 벌레
지구가 어길수 없는 운명
인류가 유일하게 무월한건
계르무가 위장기만는

EXPANDABLE

미리사 반출권에 불참 박혜성

부자들도
나름에 고민이 있듯
죽지않는 자들에게도
나름에 고민이 있겠지

부자들은
언젠가 파산 할까
불안해 하겠지

죽지않는 자들은
언젠가 여기저 없는 종이되라할까
불안해했겠지

그러니 우리도
돈이나 죽음을 두려워하지 말고
하루하루 뜻깊게 살아보자

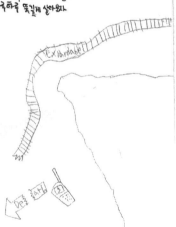

〈인간〉

백청현
(인간문학)

인간들은 어쩔 수 없이 태어났고

인간들은
노력 하지만 번번이 좌절하고

인간들은
쓸쓸이 죽음만 기다리고

인간들은
행복한 하루가 있고

인간들은
외로운 하루가 있다.

감정

황동윤

비오는 날, 호수를 바라보며
빗소리와 함께,
어느새 나는 생각에 잠기고
감정이 물흐르듯
천천히 흐르기 시작한다.
시간이 지나면
감정이 사라질듯
호수를 바라보며
내 안의 감정을 느끼며
마음을 다잡는다.

책: 아몬드

비상

조하윤.

끝 없이

지하 속으로 떨어진다.
내가 사라져가는
과정

그러다
사소한 침착으로

끝없이

하늘 너머로 날아간다.
내가 존재하는
과정.

우리가 살아가는 과정

이정우

하늘

아무 생각없이 하늘을 본다.
삶의 의미를 얻기 위해 하늘을 본다.
시련을 이기기 위해 하늘을 본다.
아름다운 광경을 보기위해 하늘을본다.
나는 이럴때 하늘을 본다.

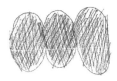

오늘이 지나면
어제가 되니까

20402 김민세

속상한 일은 언젠가 어제가 되니까
훌훌 털고 내일을 기다리자

기쁜 일도 언젠가 어제가 되니까
오래오래 오늘을 추억하자

시간이 해결해주니까,
시간이 지나버리니까,
오늘이 지나면 어제가 되니까.

상처

김기현

상처는 다쳐야 생기는 것이다.
큰 상처가 생기면 아픔도 더 커진다
과연 상처가 몸에만 생길까?
상처는 마음에도
생겨

마음에 생긴 상처는 지워지지 않아

Life

- Miso Jang -
2018

they tell you life
isn't suppose to be easy
but they never told you
it would be this hard

It lets your mind run
free in endless circles

never certain of my decisions
always hesitating and regretting
even the smallest things
to have pasta or chicken
or to have tea or water

Not living but surviving
each day like it's my last

but in the end
after all the pain
there will come a sense of peace

Being in sorrow All day
laughing about the smallest things

- That is life

커피

이록다

어른들이 좋아하는 쓰디쓴
커피
나는 싫어하는 쓰디쓴
커피

친구들이 좋아하는 버블티
나는 싫어하는 버블티

애기들이 좋아하는 우유
나는 싫어하는 우유

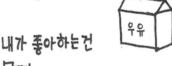

내가 좋아하는건
뭘까

괜찮아

박가은

서러워서 눈물이 나고
슬프고 우울해도
괜찮아

아무도 내 편인 것 같지 않고
온 세상이 나를 등진 것 같아도
괜찮아

좋지 않은 일이 생기고
모든 게 잘 풀리지 않아도
괜찮아

다 '괜찮아' 질거야

시간

박서준
책제목: 살아보니, 시간

우리의 시간은 흐른다
마치 강물처럼
느리게

지구의 시간은 흐른다
마치 폭포처럼
빠르게

우주의 시간은 흐르지 않는다
마치 고여있는 물처럼

박정희는 어떻게 경제성장
했는가?

병 주고 약 주고
한거늘
독재정치를 했지만
경제성장을 하여
대한민국을 키웠고
군사정권 이였지만
한강의 기적들으로
우리나라를 키운 우리 대통령

가 난

이정우

때론 행복한 사람
때론 슬픈 사람
때론 아쉬운 사람
때론 부자인 사람
그러나 때론 가난한사람도 있다.

In Another Universe

I believe god
gifted me

-Miso Jang-
2/21/12

between seas, galaxies and moons
god gifted me
I stepped on the same land
I lived under the same stars
I dreamed under the same sky
as you

I miss you
more than you know

I love you
more than you'll ever know

I still think of you
as if you put
the stars into
the sky

Right person
Not enough time

— In another universe
we happened

CH4.

새벽 ◇

우리의 사랑과 애정

아죽다

〈약속〉

너는 약속했어
내가 화를 내도
너는 바람처럼 부드럽게 나를 감싸주기로.

너는 약속했어
내가 너를 싫어해도
너는 해바라기 처럼 나만 바라봐 주기로.

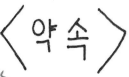

너는 약속했어
내가 어느날 바퀴벌레로 변해도
너는 공기처럼 나와 평생 함께 있어주기로

내 옆에 있어줄거지?

편 지

천효정
세계른건너
너에게 갖게

마음을전하는
편지

내용을 어떻게쓸지
고민되는 편지

부끄러울수 있는
편지

하지만 마음이
담겨져 있는
편지

너 에게 갈게

오현지

세계를 건너 너에게 갈게
어디있든 너를 찾을게

시간을 건너 너에게 갈게
언제든 너는 찾을게

고통을 건너 너에게 갈게
시련의 괴리는 피해 너는 찾을게

2024.3.7   강기현(리버링)
세계를 건너 너에게 갈게

세계를 건너   너에게 갈게
세계를 넘어서   너에게 갈게
과거의나, 나에게 갈게

바다를 갈라   너에게 갈게
하늘을 날아 너에게 갈게

머리끈

이록다

여자들 한테 없어선 안되는
머리끈

남자들 한테 없어선 안되는
스포츠

나한테 없어선 안되는
너

언젠가

이룬다

연필심도 언젠가 다 닳겠지

핸드폰 배터리도 언젠가 다 쓰겠지

너를 향한 내 마음도 언젠가 다 식겠지

세계를 건너 너에게 갈게

황동윤

먼세계 끝에서 너를 찾아서
꿈을 안고
너에게 갈게

눈부신 빛으로 가득한 너에게
우리의 만남이
손에 잡힐 때까지
너에게 갈게

앵무새

성한서

눈은 끔뻑끔뻑
걸음은 뒤뚱뒤뚱

배는 포동포동
날개는 펄럭펄럭

발톱이 땅에 닿아 걸을 땐 타닥타닥
귀여운 소리가 난다.

물소리가 나면 짹짹짹짹
노래를 부른다.

내가 누구보다 아끼고 사랑하는
애완 앵무새 키로에게 이 글을 바칩니다.

You

- Miss Jang -
장미소

I still even ask myself
Was I really in love with you
Truth is I still dont know

It makes me still sick
That I was deeply obsessed with you
Or I was just really in love with
you

The real question is
Why I keep forcing myself
If you were my First love
or first love

At the end it was always
You.

샤프심

주인건

샤프심처럼 얇은 내 마음
샤프심처럼 잘 부러지는 내마음
하지만 샤프에 넣으면 안부러지는걸처럼
내안에 있으면 굳건한 나의 마음

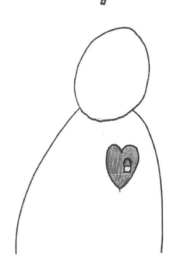

고백 _ Go Back

조하윤

'오늘 **GO** 해볼까'

두근두근 떨리는
내 마음

그러다 뚝..
차이면 어쩌지

덜덜 떨리는
내 마음

'오늘 **BACK** 해야겠다'

중학교 2학년

주민건

중학교 2학년이 되자
생각을 한다
나는 누구인가
나는 왜 사는 것일까? ——→

중학교 2학년이 되자
힘이 느껴진다
누구랑 싸워도 이긴것같다.
일진이랑 싸우는 상상을 한다...

중학교 2학년이 되자
왼손이 아파온다
무언가 빠져나올것 같다
넋대로 그것을 용인한다
그것은 무엇일까?
그네를 타며 생각에 잠겨본다

First or Second?

- Miso Fany -
2B/2

it wasn't exactly
love at first sight
more like the second

When I finally got a good
glimpse of you

I didn't really fall hard
for you until
you picked up my
water bottle

I guess you could say
something sparked me
that moment

I felt it
a light
like a little electric burn
I felt my life change

— because of You

표지 - 정해솔